La bruja Maruja

KUMQUAT

Queda hecho el depósito que previene la Ley 11.723

Ediciones Kumquat, Buenos Aires, Argentina
Email kumquat@kumquat.com.ar
www.kumquatediciones.com
Primera edición, mayo 2006
ISBN: 987-1234-05-8
Impreso en China

Galán, Ana
La bruja Maruja / Ana Galán ; ilustrado por Natalie Ponce Hornos - 1a ed. - Buenos Aires : Kumquat, 2006.
24 p. ; 25x20 cm.

ISBN 987-1234-05-8

1. Narrativa Infantil Española I. Ponce Hornos, Natalie, ilus. II. Título
CDD E863.928 2

La bruja Maruja

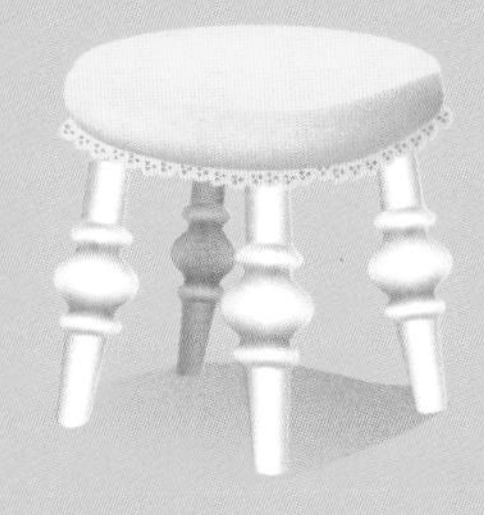

TEXTO
ANA GALÁN

ILUSTRACIONES
NAPH

El día que la conocí
enseguida me di cuenta

de que esta bruja Maruja
era una sinvergüenza.

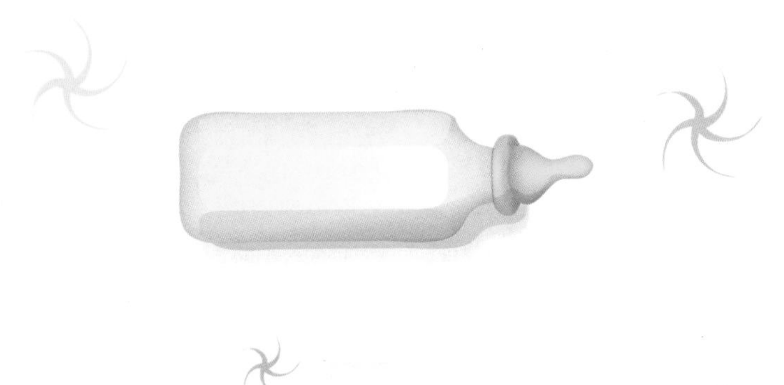

Cuando estábamos jugando sonrió y vi sus dientes

Y noté que su sonrisa
embrujaba a la gente.

Si ve que estoy durmiendo,
ella entra de puntillas

para convertir mis sueños
en horribles pesadillas.

No sé bien cómo lo hace,
pero sabe encontrar el modo

de hacer sus brujerías
y echarme la culpa de todo.

Cada vez que yo hago algo,
siempre le parece mal,

JABÓN

Pero si lo hace ella
estará fenomenal.

JABÓN

Me sigue a todas partes,
embruja a mis amigas,

aparece en mi cuarto
y también en la cocina.

Y aunque a veces pienso
que es un poco pesada...

sé que no hay nada mejor
que tenerla como hermana.